PASSEPEUR

LA CITÉ OUBLIÉE DES ABÎMES

Réalisé par
Richard Petit

boomerang

3e impression : août 2012

Créé par Richard Petit

Dépôt légal : Bibliothèque et Archives
nationales du Québec, 3e trimestre 2009

ISBN : 978-2-89595-432-3

Imprimé au Canada

Gouvernement du Québec – Programme de crédit d'impôt
pour l'édition de livres – Gestion SODEC

Boomerang éditeur jeunesse remercie la SODEC
pour l'aide accordée à son programme éditorial.

Nous reconnaissons l'aide financière du gouvernement du Canada
par l'entremise du Programme d'aide au développement
de l'industrie de l'édition (PADIÉ) pour nos activités d'édition.

edition@boomerangjeunesse.com
www.boomerangjeunesse.com

TU CROIS AVOIR CHOISI CE LIVRE ?
C'EST PLUTÔT CETTE AVENTURE QUI
T'A SÉLECTIONNÉ...

OUI ! Car tu es la seule personne capable de mener à bien
la plus grande de toutes les missions...
SAUVER LA TERRE !

Notre planète est sur le point d'être complètement
submergée par l'eau des mers qui ne cesse de monter
dramatiquement de jour en jour. Déjà, plusieurs grandes
villes du globe, situées en basse altitude, ont été englouties
et dévastées par les flots. Cette tragédie a forcé l'évacuation
totale de plusieurs populations. Des millions de personnes
ont dû quitter leur foyer pour trouver refuge dans
les hautes montagnes de leur pays respectif.
Tous les gouvernements de la planète croyaient que cette
terrible catastrophe était causée par la fonte des glaciers,
mais il n'en est rien. Selon les plus grands scientifiques, la
cause semble provenir des abîmes de la mer. L'état d'urgence
mondiale a été décrété, et une personne a été choisie pour
remplir la plus grande mission de toutes... TOI !
Sauver la Terre de la plus grande menace qui n'a jamais
guetté l'humanité, voilà ta mission. Si tu réussis,
tu entreras dans la légende...

TON LAZER-K

Te lancer tête première dans l'action sans te préparer serait de la pure folie. Alors, vaut mieux parfaire tout d'abord tes connaissances et tes aptitudes.

Pour t'aider dans cette mission périlleuse, tu seras accompagné d'un ami très cher… TON LAZER-K ! Ce lazer-K est un pistolet désintégrateur cool et très puissant. Si ton activité préférée est le bousillage des méchants, tu seras servi. Pour commencer, il faut t'entraîner à t'en servir.

Si tu tournes les pages de ton livre, tu remarqueras, sur les images en bas à gauche, un monstre, ton lazer-K et le rayon lancé par ton arme. Ce monstre représente tous les ennemis que tu vas affronter dans ton aventure. Plus tu t'approches du centre du livre, plus le rayon destructeur se rapproche du monstre. JETTE UN COUP D'ŒIL !

Lorsque, dans ton aventure, tu fais face à un ennemi et qu'il t'est demandé d'essayer de le pulvériser avec ton lazer-K, mets un signet à la page où tu es, ferme ton livre et rouvre-le en essayant de viser le milieu du livre. Si tu t'arrêtes sur une image semblable à celle-ci,

TU AS RATÉ TON TIR ! Alors, tu dois suivre les instructions au numéro où tu as mis ton signet. Exemple : *Tu as raté ton tir, rends-toi au numéro 27.*

Si par contre tu réussis à t'arrêter sur une des six pages centrales du livre portant cette image,

TU AS PULVÉRISÉ TON ENNEMI ! Tu n'as plus qu'à te diriger à l'endroit indiqué dans le texte où tu as mis ton signet. Exemple : *Tu as réussi à pulvériser ton ennemi, rends-toi au numéro 43.*

VAS-Y ! Fais quelques essais…

LES PAGES DU DESTIN

Lorsqu'il t'est demandé de TOURNER LES PAGES DU DESTIN afin de savoir si un monstre va t'attraper, mets un signet à la page où tu es, et fais tourner les pages du livre rapidement. Ensuite, arrête-toi AU HASARD sur l'une d'elles. Sur les pages de droite, il y a trois icônes. Si tu retrouves cette icône-ci sur la page où tu t'es arrêté :

 TU T'ES FAIT ATTRAPER ! Alors, tu dois suivre les instructions au numéro où tu as mis ton signet. Exemple : *Le monstre a réussi à t'attraper ! Rends-toi au numéro 16.*

Tu es plutôt tombé sur cette icône-là ?

 ALORS, TU AS RÉUSSI À T'ENFUIR ! Tu dois donc suivre les instructions au numéro où tu as mis ton signet. Exemple : *Tu as réussi à t'enfuir ! Rends-toi au numéro 52.*

Lorsqu'il t'est demandé de TOURNER LES PAGES DU DESTIN afin de savoir si un monstre t'a vu, fais la même chose. Tourne les pages et arrête-toi AU HASARD sur l'une d'elles. Si, sur cette page, il y a cette icône-ci :

LE MONSTRE T'A VU ! Alors, tu dois te rendre au numéro indiqué dans le texte.

Tu es plutôt tombé sur celle-là ?

IL NE T'A PAS VU ! Rends-toi au numéro correspondant.

Afin de savoir si une porte est verrouillée ou non, fais tourner les pages. Si, sur cette page, il y a cette icône-ci :

LA PORTE EST FERMÉE ! Alors, tu dois te rendre au numéro indiqué dans le texte.

Tu es tombé sur celle-là ?

ELLE EST OUVERTE ! Rends-toi au numéro correspondant à l'endroit, où la porte s'ouvrira.

Ta vie ne tient qu'à un fil.

Cette vie que tu possèdes pour cette aventure comporte dix points. À chaque coup porté contre toi, elle descendra d'un point. Si jamais elle tombe à zéro, ton aventure sera terminée, et tu devras recommencer au début du livre.

COMMENT TENIR LE COMPTE

Sur cette page se trouve ta ligne de vie. BRICOLAGE OBLIGE ! Tu dois tout d'abord découper les petites lignes pointillées jusqu'au point rouge, et ensuite plier les dix petits rabats pour cacher complètement le squelette.

Lorsqu'il t'arrivera, au cours de ton aventure, de recevoir un coup, tu devras t'enlever un point de vie en dépliant un petit rabat de cette façon.

Et ainsi de suite, chaque fois qu'il t'arrivera malheur, ce sera toujours indiqué.

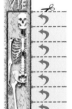

Si le squelette se retrouve complètement découvert, c'est terminé pour toi. TU DOIS ALORS RECOMMENCER AU DÉBUT DU LIVRE !

RASSURE-TOI !

Tu pourras retrouver partout des élixirs cachés qui augmenteront ta ligne de vie. Si jamais tu en trouves, tu n'auras qu'à plier un petit rabat pour soigner tes blessures.

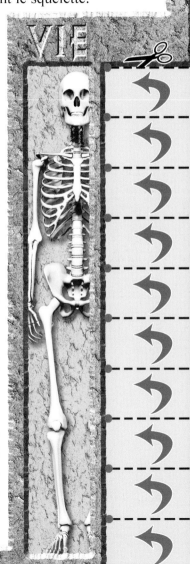

TU ES FIN PRÊT ! Ton arme entre les mains, tu fonces vers l'extérieur de la salle du point de presse du quartier général où l'action t'attend.

Rends-toi au numéro 1.

Dans la limo qui t'amène au port, tu salues les dizaines de milliers de gens amassés sur les côtés de la rue. Ils sont tous venus te voir et te rendre hommage. Oui ! Toi qui étais, il y a à peine quelques semaines, dans ta classe, un élève comme les autres. Tout a basculé pour toi le jour où, à la recherche de la personne parfaite pour accomplir la plus grande mission de toutes, les autorités ont fait passé un test « QI » psychométrique à tous les habitants de la planète.

Jamais personne n'avait vu un résultat pareil pour une si jeune personne : 176. Quelle surprise ce fut aussi pour toi lorsque trois hommes, vêtus tout en noir, arrivèrent en trombe dans ta classe pour venir te chercher, et te conduire devant les têtes dirigeantes des plus grandes puissances mondiales : le président des États-Unis, le premier ministre du Canada, ainsi que beaucoup d'autres.

Alors après avoir subi un entraînement intensif, voici venu le grand jour. Ta seule crainte maintenant, c'est qu'au retour de cette mission, les scientifiques t'ouvrent la boîte crânienne afin d'examiner ton cerveau, pour comprendre pourquoi tu es doté d'une si grande intelligence ! Si, bien sûr, tu parviens à revenir en vie et à sauver la Terre…

La limo s'arrête et le général des armées mondiales t'ouvre la portière.

Pour que tu puisses te rendre sur les quais du port au numéro 2, où t'attendent un sous-marin et ton scaphandre.

LES PAGES DU DESTIN

SVOOUUCH ! RATÉ ! Le rayon de ton arme frappe de plein fouet l'épave du vieux navire qui s'affaisse dans un tas de planches pourries. D'autres spectres apparaissent et viennent vers toi. Tu es entouré. Est-ce que ton heure est arrivée ? NON ! Ces pauvres spectres ne te gardent pas rancune. Ils ont été victimes d'une tragédie maritime qui s'est produite il y a de cela une centaine d'années. Depuis, ils habitent cette épave en toute quiétude, et elle était leur demeure jusqu'à ce que tu arrives. Ils se retrouvent maintenant démunis, sans abri. Le cœur sur la main, tu leur proposes d'habiter chez toi, en attendant de leur trouver une maison à hanter.

Pour ce beau geste de compassion, plie trois petits rabats sur le squelette pour ajouter trois points à ta ligne de vie, puis retourne au numéro 2.

BRaaaK ! Une partie du quai s'écroule et le sous-marin se brise en deux. La violente collision t'a infligé une blessure (enlève deux points à ta ligne de vie). Aidé des autres survivants, tu parviens à t'extirper de la carcasse qui coule dans de grands bouillons d'eau. Sur ce qui reste de cette partie du quai, les marins et les soldats se questionnent : mais si tu es doté d'une si grande intelligence, comment as-tu fait pour choisir… LE MAUVAIS SOUS-MARIN ? En plus, ils doivent récupérer ton scaphandre pour que tu puisses recommencer (enlève deux autres points à ta ligne de vie pour cette baisse de popularité).

De crainte d'avoir perdu un peu de leur admiration, tu retournes au numéro 2 en espérant faire le bon choix cette fois.

L'ordinateur à bord est vraiment sophistiqué. Il n'a pas fait apparaître l'image du mégalodon à l'écran parce qu'il y en a un qui fonce vers toi. Nerveusement, tu te mets à lire le texte pour en savoir plus : gigantesque requin qui peuplait les océans jusqu'à il y a deux millions d'années, où il s'est éteint depuis. Le mégalodon est considéré comme le plus grand super prédateur de tous les temps. Comble de malheur, tu constates qu'il en reste un, et il n'est plus qu'à quelques mètres de toi. Le grand requin ouvre sa bouche gigantesque et avale ton sous-marin d'une seule bouchée. **GLOURB !**

Tu te retrouves dans sa gorge, au numéro 13.

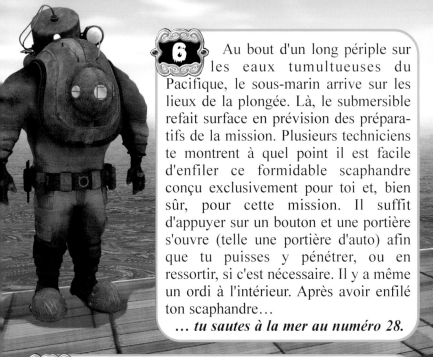

6 Au bout d'un long périple sur les eaux tumultueuses du Pacifique, le sous-marin arrive sur les lieux de la plongée. Là, le submersible refait surface en prévision des préparatifs de la mission. Plusieurs techniciens te montrent à quel point il est facile d'enfiler ce formidable scaphandre conçu exclusivement pour toi et, bien sûr, pour cette mission. Il suffit d'appuyer sur un bouton et une portière s'ouvre (telle une portière d'auto) afin que tu puisses y pénétrer, ou en ressortir, si c'est nécessaire. Il y a même un ordi à l'intérieur. Après avoir enfilé ton scaphandre…

… tu sautes à la mer au numéro 28.

7 Sous les applaudissements des soldats et des marins réunis pour ce grand jour, tu t'introduis dans l'écoutille du plus grand sous-marin. Une fois que tu t'es installé confortablement dans ta cabine, les murs et le plancher se mettent à bouger autour de toi. Tu en déduis que le grand navire submersible effectue ses manœuvres de désarrimage. Une sonnerie plutôt désagréable se fait tout à coup entendre, BRRIII ! BRRIII ! BRRIII ! et signale à tout l'équipage que le sous-marin va chasser les ballasts pour ensuite s'enfoncer sous l'eau.

À peine est-il arrivé à quelques mètres sous la surface que le sous-marin percute un obstacle, au numéro 20.

8 QUELLE AGILITÉ ! Intelligence et dextérité ! Voilà deux qualités qui font qu'il n'y a vraiment que toi qui peux mener à bien cette mission périlleuse.

À bord du sous-marin, tu es accueilli comme une idole de musique. Plusieurs marins veulent être pris en photo avec toi et veulent ton autographe. Tu apprécies cette popularité soudaine tout en gardant à l'esprit l'importance de la tâche que tu dois accomplir.

Le sous-marin quitte le port et se dirige à ta première étape, l'abysse Challenger, située dans l'océan Pacifique, près de la fosse des îles Marianne…

… Au numéro 6.

9 Après avoir enfilé un simple costume de plongée, tu traverses le sas, puis pénètres dans l'eau. En nageant comme un poisson, tu contournes le sous-marin et arrives au point d'impact, où tu aperçois l'épave du grand navire dans lequel le gouvernail s'est coincé.

Au numéro 31.

10 Après avoir exécuté plusieurs tours avec la manivelle, tu entends un déclic sourd. DÉCLIC ! À ton grand étonnement, l'écoutille s'ouvre d'elle-même. NON ! Pas toute seule. Une espèce de créature marécageuse apparaît dans l'ouverture…

… au numéro 15.

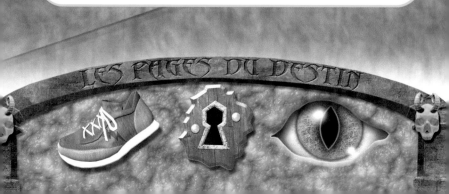

LES PAGES DU DESTIN

11 Tu ne sais pas pourquoi, mais ton flair te dit que tu devrais utiliser le plus petit sous-marin pour descendre dans les abîmes de la mer. Devrais-tu t'y fier ? Ton flair est-il aussi « hors du commun » que ton intelligence ? C'est ce que nous allons voir.

Cependant, tu constates très vite que personne d'autre que toi, vêtu de ton scaphandre, ne peut y entrer tellement il est minuscule. Après avoir refermé l'écoutille et exécuté les vérifications de routine…

… tu mets les moteurs en marche et tu te diriges vers le large, au numéro 18.

12 Après avoir exécuté un quart de tour avec la manivelle, tu constates avec frustration que tu t'es trompé. Maintenant, impossible d'ouvrir l'écoutille. Mais ce n'est pas le pire ! Une petite fissure vient de se former dans la coque du sous-marin. Cette fissure se transforme vite en brèche. L'eau pénètre maintenant à grands torrents dans le submersible. La peinture qui recouvrait et décorait joliment le grand bâtiment ne servait qu'à cacher le piètre état dans lequel se trouvait cette relique déglinguée de la Grande Guerre… QUI SOMBRE MAINTENANT DANS LA MER !

Pris dans les tourbillons frénétiques de l'eau, tu nages désespérément jusqu'au quai. Là, épuisé, tu constates que tu as perdu la moitié de tes forces, et de ta ligne de vie (s'il te reste huit points, tu dois en enlever quatre, s'il t'en reste six, tu dois en enlever trois, si tu en possèdes cinq, tu dois en enlever trois, et ainsi de suite).

Retourne ensuite au numéro 2 afin de choisir un autre sous-marin, si tu es toujours en vie.

13 De sa gorge répugnante, tu glisses jusqu'à son estomac où là, tu constates que tu n'es pas le seul à avoir été gobé par cette sardine colossale, NON ! Il a même avalé une mine de la Grande Guerre, qui n'a pas encore explosé… ZUT !

Ton sous-marin, qui vogue à la surface des sucs gastriques, finit par percuter la mine qui explose. **BRaaOOOUM !** Et voilà pour le dernier mégalodon. Le souffle de l'explosion te propulse hors de l'eau, si fort que ton sous-marin est projeté comme un boulet de canon jusqu'au quai de la ville. Là, l'atterrissage ne se fait certes pas en douce. (Déplie trois rabats pour enlever trois points à ta ligne de vie.)

Si tu es encore en vie, retourne au numéro 2 afin de choisir un autre sous-marin.

14 ET AUSSI, DE DENTS TRÈS LONGUES ET ACÉRÉES ! Elles ouvrent toutes ensemble leur gueule répugnante et foncent vers toi. Qui sera le premier de ces horribles poissons lumineux à déguster une collation inattendue, c'est-à-dire toi ? Tu ne veux pas vraiment le savoir. Tu vas plutôt tenter de pulvériser celui qui est le plus près de toi. Voilà ce que tu vas faire pour effrayer les autres. Tu dégaines alors ton lazer-K et tu appuies sur la gâchette.

Mets un signet à cette page, ferme ton livre et essaie de l'ouvrir en visant bien le centre.

Si tu rates ton tir, va au numéro 26.

Si tu réussis à atteindre cet horrible poisson avec le rayon de ton lazer-K, rends-toi au numéro 32.

LES PAGES DU DESTIN

Mais qui peut expliquer la présence de cette créature monstrueuse dans ce lieu : un marin enfermé et oublié pendant des années peut-être ? Ce n'est vraiment pas le temps de chercher la raison, car la créature tend sa main gluante dans le but de te saisir. Tu tentes de t'écarter d'elle.

Va-t-elle parvenir à t'attraper ? Pour le savoir…
TOURNE LES PAGES DU DESTIN !
Si tu vois une main sur la page où tu t'es arrêté, c'est qu'elle t'a malheureusement attrapé. Va au numéro 25.
Si, par contre, tu t'es arrêté sur une page où il y a une espadrille, tu as réussi à t'enfuir. Rends-toi alors au numéro 30.

16 Étant responsable de cette mission, tu ordonnes au commandant de mettre les moteurs à fond. Le timonier à la barre pousse les leviers et les moteurs vrombissent. Le sous-marin demeure immobile pendant de longues secondes avant de se dégager abruptement, ce qui a comme résultat de catapulter le grand submersible comme une torpille… VERS LE QUAI !

IMPOSSIBLE DE L'ARRÊTER !

Le nez du sous-marin percute de plein fouet les structures en bois au numéro 4.

17 Ce vieux sous-marin semble pour toi un choix judicieux, car comme les marins te l'ont raconté, il a toujours rempli ses missions et il est toujours revenu à bon port.

Escorté par le vieux capitaine, tu t'introduis à bord. À l'intérieur, tu remarques que l'équipage est uniquement constitué de vieillards. Tu les salues en leur disant « bonjour ». Personne ne répond, car ils n'ont pas entendu. Tu répètes et obtiens le même résultat. Alors, tu cries. Plusieurs d'entre eux portent une main à leur oreille, pour tenter de te comprendre. Tu hurles de nouveau, mais il n'y a rien à faire, ils sont tous durs d'oreille. Tu questionnes le capitaine sur cette situation un peu embarrassante. SURPRISE ! Lui aussi a de la difficulté à t'entendre. À force de crier pour tenter de te faire comprendre, tu te retrouves avec un terrible mal de tête (enlève un point à ta ligne de vie), ce qui te force à sortir du sous-marin. Réalisant qu'il te sera impossible de travailler sous ces conditions…

… tu retournes au numéro 2 afin de choisir un autre sous-marin.

LES PAGES DU DESTIN

8 Après avoir vogué en surface pendant plusieurs minutes et une fois que tu as atteint le lieu de plongée, tu chasses les ballasts et ton petit submersible s'enfonce sous la surface de la mer. Plus tu descends, moins les rayons du soleil se font apparents. Le sonar, appareil hyper sophistiqué, t'indique non seulement la profondeur atteinte, mais te lance aussi des images de la faune marine vivant dans ces profondeurs. Les trois cents mètres viennent d'être atteints et sur l'écran apparaît un texte qui parle des mégalodons. Il n'y a cependant aucune image. Mais qu'est-ce qu'un mégalodon ? Une lumière rouge se met tout à coup à clignoter sans arrêt sur le tableau de bord.

Regarde par le hublot à tribord au numéro 5 et tu auras ta réponse.

9 Le système d'ouverture est plus complexe que tu pensais. Si tu tournes la manivelle dans le mauvais sens, le dispositif se figera dans toute cette rouille qui ronge les roues dentées, et le sous-marin sera inutilisable. Cela te prendrait plusieurs jours pour le réparer.

Si tu penses que tu devrais tourner la manivelle vers la gauche, rends-toi au numéro 10.

Si tu crois, par contre, qu'il faut la tourner vers la droite pour ouvrir l'écoutille, va au numéro 12.

20 **Baaang !** Le choc est tel que tu tombes sur le plancher avec violence. AÏE ! (Déplie un rabat sur le squelette pour enlever un point à ta ligne de vie.) ZUT ! Ça commence vraiment mal, cette histoire !

Sors de ta cabine, le commandant a besoin de toi au poste de commande, au numéro 29.

21 Arrivé près de la passerelle qui donne accès au sous-marin coloré, tu constates que tout l'équipage attend sur le quai. Mais qu'est-ce qui se passe ? Le commandant t'informe que les mécaniciens ne parviennent pas à ouvrir l'écoutille du sous-marin afin de monter à bord.

Bande d'incapables ! (C'est ce que tu te dis.) Il faut vraiment que tu fasses tout ici.

Près de l'écoutille, tu enlèves un panneau pour atteindre la manivelle d'ouverture d'urgence, au numéro 19.

22 Deux heures ont passé ! Parvenu à une grande profondeur, tu t'aperçois qu'il y a longtemps que la vie aquatique s'est éteinte autour de toi. Pendant ta réflexion, tu te retrouves tout à coup entouré de grands poissons déformés à cause de la forte pression à cette profondeur sous l'eau.

Rends-toi au numéro 33 afin de faire face à ce dangereux comité d'accueil.

23 **SPLOUCH !** Zut ! t'écries-tu, la tête hors de l'eau. Alors que tu nages lentement vers le rivage, tu sens tout à coup de drôles de pincements partout autour de toi. PINCEMENTS MON ŒIL ! Ce sont de voraces piranhas qui ont entrepris de nettoyer tes os de ta chair ! AÏE ! AÏE !

Frénétique, tu frappes l'eau devant toi pour te sortir au plus vite de cette soupe dans laquelle tu es, malgré toi, l'ingrédient principal. (C'est avec deux points de vie en moins que tu parviens à atteindre la rive.)

Retourne au numéro 34 pour tenter encore ta chance.

Tu dégaines ton lazer-K et tu appuies sur la gâchette.

Mets un signet à cette page, ferme ton livre et essaie de l'ouvrir en visant bien le centre.

Si tu rates ton tir, va au numéro 3.

Si tu réussis à atteindre les spectres avec le rayon de ton lazer-K, rends-toi au numéro 27.

LES PAGES DU DESTIN

25 Sa grande main froide saisit ton poignet avec force. Tu tentes de te dégager, mais il n'y a rien à faire. La créature te tire vers elle, te mord le bras et disparaît ensuite dans les tréfonds du sous-marin. (Déplie deux rabats pour enlever deux points à ta ligne de vie.)

La douleur est insoutenable. Tu voudrais bien te mettre à pleurer, mais sur le quai, des centaines de marins te regardent. Une légende qui pleurniche ! Ça ne se fait pas. Et puis, dans le futur, que penseront les jeunes à l'école, dans leurs cours d'histoire, lorsqu'ils liront les livres sur ton aventure, tu y as pensé ? Après avoir reçu du médecin plus de vingt-cinq vaccins contre toute contamination possible…

… tu retournes au numéro 2, afin de choisir un autre sous-marin.

26 **SVOOUUCH !** ZUT ! C'est raté ! Le premier gros poisson ouvre tout grand sa bouche et englobe complètement ta tête. Dans ton scaphandre, tu encaisses le choc (enlève un point à ta ligne de vie). Les autres l'imitent et tu te sens tout à coup malmené de toutes parts (enlève deux autres points à ta ligne de vie). Au bout de quelques secondes, ces poissons, aussi intelligents que laids, en déduisent très vite qu'ils ne parviendront pas à percer ton solide scaphandre. Ils te délaissent alors, et partent chercher ailleurs une proie plus facile. Le calme revenu, tu entends un curieux « PSHHH ! » NON ! Ton tuyau d'alimentation en air s'est percé dans l'échauffourée.

Poursuis ta descente au numéro 35.

27 **SVOOUUCH !** Est-ce que tu as triché au test de QI ? Parce que tout le monde sait que l'on ne peut pas pulvériser des fantômes, car ils sont déjà… MORTS !

En effet, ton rayon passe à travers leur corps transparent, puis va frapper un rocher qui explose aussitôt. **BROOOUUM !** Bon, tu as réussi à effrayer les spectres, mais une avalanche de roches folles tombent sur toi et t'ensevelissent. (Déplie trois rabats pour enlever trois points à ta ligne de vie.)

Si tu es encore en vie, écarte les roches afin de t'extirper de cette prison de pierres et retourne au numéro 2 pour choisir un autre sous-marin.

28 Ta longue descente s'amorce. Ton scaphandre, retenu par une très longue chaîne, s'enfonce lentement dans l'abîme. Relié aussi au sous-marin par un tuyau qui te permet de respirer, tu humes déjà, avec nostalgie, le bon air de la mer. Car une fois que tu auras atteint le fond, cette chaîne et ce tuyau se détacheront automatiquement de ton scaphandre. Tu seras libre et la bombonne d'oxygène s'activera.

Poursuis ta descente au numéro 22.

Lorsque le sous-marin pivotait sur lui-même pour se mettre dans la trajectoire de la sortie de l'estuaire, le sonar n'a pu détecter la vieille épave de navire qui se trouvait dans les alentours. Tu te rends compte maintenant que ce sous-marin est assurément trop gigantesque pour les manœuvres délicates de cette mission. Tu dois retourner au port pour en choisir un autre. Cependant, il y a un hic : le gouvernail du sous-marin est coincé dans l'épave, et il ne peut plus avancer.

Deux solutions s'offrent à toi :

Faire une sortie pour tenter de le dégager, au numéro 9.

Ou mettre les moteurs à fond pour tenter de le décoincer, au numéro 16.

30 Avec une rapidité que tu ignorais posséder, tu esquives agilement l'attaque de la créature. Mais elle est toujours là devant toi, à te regarder goulûment. Elle a des projets avec toi, des projets d'ordre… ALIMENTAIRE ! OUAH !

La tête d'une deuxième créature apparaît de l'écoutille, puis la tête d'une troisième ! Le sous-marin est bondé de ces créatures monstrueuses aux très mauvaises intentions. Tu donnes l'ordre au char d'assaut posté sur le quai de faire feu plusieurs fois sur le sous-marin.

BRAOUM ! BRAOUM ! BRAOUM !

En quelques secondes à peine, le submersible se retrouve plein de trous, tel un fromage suisse. Lentement, il s'enfonce et coule, sauvant ainsi la ville d'une invasion certaine.

Sous les acclamations de joie des soldats massés sur le quai…

… tu retournes au numéro 2, afin de choisir un autre sous-marin.

LES PAGES DU DESTIN

Alors que tu cherches une façon de dégager le sous-marin, deux effroyables spectres apparaissent, sortant de l'épave, au numéro 24.

32 **ZRAAAAZZ !** En plein sur sa sale tronche ! Comme tu l'avais prévu, effrayées, les autres horreurs à nageoires s'enfuient dans toutes les directions comme des peureuses. Comme c'est pratique d'être doté d'une telle intelligence ! Le calme revenu, tu entends un curieux « PSHHH ! » NON ! L'un de ces poissons a percé accidentellement ton tuyau d'alimentation en air avec une de ses nageoires pendant la débandade.

Poursuis ta descente au numéro 35.

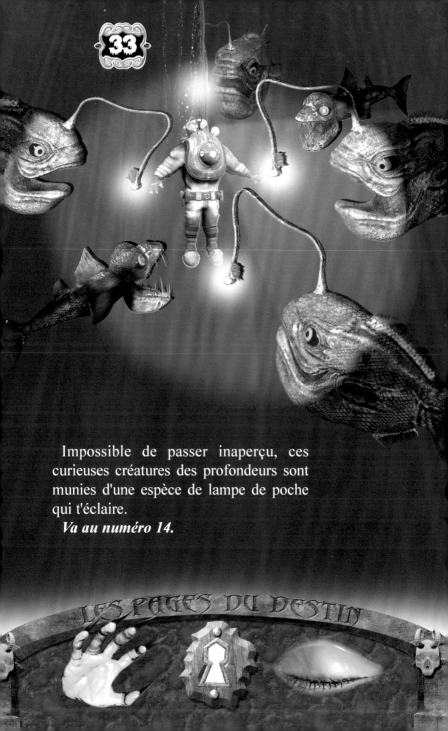

Impossible de passer inaperçu, ces curieuses créatures des profondeurs sont munies d'une espèce de lampe de poche qui t'éclaire.

Va au numéro 14.

LES PAGES DU DESTIN

34 Ce sous-marin est tout ce qu'il y a de plus banal, sauf que pour monter à bord, il n'y a pas de passerelle, mais plutôt un gros câble qui va du quai jusqu'à l'écoutille. Un marin t'explique que par la force des choses, ils ont dû user d'originalité, car toutes les passerelles sont utilisées par les quatre autres sous-marins. Seras-tu capable de jouer le funambule puis de monter à bord sans tomber dans l'eau ?

Pour le savoir, mets un signet à cette page, ferme ton livre et dépose-le, debout dans ta main. Si tu es capable de faire trois pas sans que ton livre tombe par terre, BRAVO ! Tu as réussi à monter à bord du sous-marin au numéro 8.

Si, par contre, ton livre est tombé avant que tu aies fait trois pas, tu te retrouves malheureusement dans la flotte, au numéro 23.

35 PSHHHHHHHHHH ! Dans ton scaphandre, l'air se fait de plus en plus rare (enlève un point à ta ligne de vie). Tu descends encore, et maintenant, tu as peine à respirer (enlève un autre point à ta ligne de vie).

MAIS QU'EST-CE QUE TU ATTENDS POUR ALLER AU CHAPITRE 39 ? Qu'il ne te reste absolument plus d'air ? Cesse de lire ce chapitre et rends-toi TOUT DE SUITE au numéro 39. Sinon, enlève un autre point à ta ligne de vie, et puis un autre, et encore un autre, un autre encore, etc.

36 MALHEUR ! Une main osseuse parvient à s'agripper à ton scaphandre. Tous les cadavres ambulants t'entourent. Tu voudrais bien utiliser ton lazer-K, mais ils sont trop près de toi. Lentement, comme si leur cerveau était toujours là, intact dans leur boîte crânienne, ils entreprennent de dévisser plusieurs des boulons de ton scaphandre dans le but d'atteindre leur butin… TOI !

Rends-toi au numéro 49.

37 Avec confiance, tu branches les appareils à nouveau. Aussitôt le dernier branché, toutes les lumières se mettent à clignoter, puis elles demeurent allumées. Sur l'espèce d'écran circulaire, une série de signes défilent les uns après les autres… C'EST UNE SORTE DE COMPTE À REBOURS ! Tu as réussi. Mais combien de temps as-tu avant que la ville remonte à la surface ? Et combien de temps te reste-t-il pour trouver qui a placé cet ignoble appareillage dans cet édifice ? Tu n'en as aucune espèce d'idée.

Avec empressement, tu t'introduis de nouveau dans ton scaphandre afin de poursuivre ta recherche du coupable. Va au numéro 39.

38 OUF ! Elle poursuit son chemin sans te voir. Soulagé d'avoir préservé et gardé intacte ta grande beauté, tu t'approches du camion…

… au numéro 54.

LES PAGES DU DESTIN

39

Enfin, ta descente se termine, et devant toi apparaît une immense ville engloutie. Est-ce que tu as trouvé Atlantis ? Peut-être bien. Lorsque tes pieds touchent le fond, la chaîne et le tuyau se détachent automatiquement de ton scaphandre, comme prévu. Enfin libre de tes mouvements…

Et tu te rends au numéro inscrit près de l'endroit que tu désires explorer.

Cet appareil semble s'être écrasé à l'entrée de la ville lorsqu'elle était située plusieurs milliers de mètres plus haut, c'est-à-dire lorsqu'elle était hors de l'eau.

Tu pénètres à l'intérieur de la carlingue au numéro 43.

41 Après avoir tout rebranché, rien ne se passe. ZUT ! Peut-être que ces appareils sont hors d'état de fonctionner ? Poussé par la frustration, tu assènes un bon coup de pied à l'une de ces ignobles babioles détraquées. Aussitôt, une sonnerie très irritante se fait entendre, accompagnée d'une sorte de compte à rebours qui apparaît sur un écran. As-tu réussi ? NON ! C'est une bombe qui va exploser, tu en as la certitude. Tu sautes à l'intérieur de ton scaphandre et tu te catapultes vers la sortie. À peine as-tu posé le pied hors de l'immeuble que derrière toi se forme une bulle gigantesque, L'EXPLOSION ! Projeté à une centaine de mètres plus loin, ton scaphandre percute violemment le mur de l'immeuble voisin. BOUB ! Parce que tu es sous l'eau, un « bang ! » résonne plutôt comme un « boub ! ». (Enlève trois points à ta ligne de vie...)

... Retourne au numéro 39 afin de choisir une autre voie.

42 Le cœur battant, tu observes cette ville avec une grande tristesse. Est-il arrivé ici la même chose qui va se produire à toutes les cités du monde ? S'agirait-il d'un cycle perpétuel et inévitable ? C'est la raison pour laquelle tu es ici, pour trouver la réponse, et, si tu le peux, pour stopper tout avant qu'il soit trop tard.

Tu marches dans une grande rue de cette ville submergée au numéro 64.

43 C'est une très morbide découverte que tu fais à l'intérieur, car les squelettes des passagers sont toujours assis sur leur siège respectif. Ils sont tous là qui semblent attendre avec impatience que commence la projection du film ou que les agents de bord passent avec les collations. BRRRRRR ! Ça te fait froid dans le dos.

Tu te diriges vers la cabine de pilotage au numéro 55.

44 La méduse se met tout à coup à nager dans ta direction… ELLE T'A VU ! Tu t'élances vers le camion pour t'y réfugier. Alors que tu t'apprêtes à poser la main sur la poignée de la portière, la méduse est tout à coup happée accidentellement et avalée par une gigantesque baleine. Tu regardes cet extraordinaire animal marin, immense et splendide, qui passe majestueusement au-dessus de ta tête. Mais ébloui par tant de beauté, tu as oublié qu'à l'extrémité de cette baleine, il y a une grosse queue qui lui permet d'avancer… POC ! Sur ta tête et tu te ramasses sur le dos. À cause du scaphandre, il te faudra plus d'une demi-heure pour te relever (enlève deux points à ta ligne de vie).

Lorsque tu y seras parvenu, rends-toi au numéro 54.

45

Pris d'une soudaine envie de vomir à la vue de ces squelettes répugnants qui avancent vers toi, tu te retiens, car dégobiller dans un scaphandre hermétique, ça, il faut pas. Péter non plus d'ailleurs.

Tu t'élances au centre de l'allée pour sortir de ce cimetière de métal. Est-ce que ces squelettes menaçants vont t'attraper avant que tu puisses t'éclipser ?

TOURNE LES PAGES DU DESTIN !

Si les squelettes t'attrapent, va au numéro 36.

Si tu réussis à t'enfuir, cours jusqu'au numéro 46.

46 Avec lourdeur et maladresse, tu parviens tout de même à sortir de la carlingue de l'avion sans te faire attraper. C'est une chance que ce scaphandre soit doté d'une caméra vidéo, sinon, qui te croirait avec ces histoires de squelettes qui reviennent à la vie ? Non, mais ! On t'enfermerait certainement dans un asile de fous. VIVE LA TECHNOLOGIE !

Retourne au numéro 39 afin de choisir une autre destination.

Tu les examines attentivement et finis par comprendre qu'il te suffit de les brancher dans l'ordre.

Si tu penses que tu dois les reconnecter les uns aux autres dans cet ordre : ⬤ ⬤ ❀ ⬤ ⬤ *, rends-toi au numéro 37 pour le faire.*

Si tu crois que tu devrais les reconnecter plutôt dans cet ordre : ❀ ⬤ ⬤ ⬤ ⬤ *, va au numéro 41.*

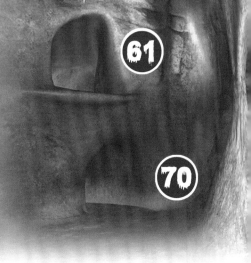

48

Il fait plutôt sombre ici ! Tu allumes ton projecteur et le puissant faisceau illumine deux voies devant toi.

Rends-toi au numéro inscrit près de la voie que tu désires emprunter.

49 L'eau commence à s'infiltrer dans ton scaphandre. Tes pieds sont dans l'eau, qui monte maintenant à tes genoux. Dans un geste désespéré, tu assènes un coup de poing à l'un de tes agresseurs. Séparés du corps du squelette par ta force de frappe, les os de ses bras et de ses jambes partent à gauche et à droite en tournant lentement sur eux-mêmes dans l'eau. L'eau a atteint ton torse. Tu frappes partout autour de toi et parviens ainsi à te libérer et à sortir de la carlingue de l'avion. L'eau clapote maintenant sous ton nez. (Enlève trois points à ta ligne de vie.) Tu augmentes alors la quantité d'oxygène qui entre dans ton scaphandre afin d'expulser l'eau. Après avoir soigneusement resserré les boulons avec un outil de secours placé à ta ceinture…

… tu retournes au numéro 39 afin de choisir une autre destination.

Ce camion te rappelle étrangement celui qui livrait les croustilles et les boissons gazeuses au chalet de tes parents, lorsque tu étais plus jeune, lorsque tu avais six ans. Poussé par la nostalgie, tu t'y diriges, sans vraiment savoir pourquoi. Soudain, au-dessus de ta tête, une gigantesque méduse ratisse le secteur à la recherche d'une proie…

Tu te caches derrière un rocher au numéro 52.

Derrière la porte rouillée, entre le pilote et le copilote, tu es tout étonné de voir que les lampes du tableau de bord sont toutes allumées. Cet avion est sans doute alimenté par une source d'énergie perpétuelle. Après toutes ces années dans la fameuse boîte noire, l'eau a court-circuité le système, ce qui a pour effet d'avoir transformé la cabine en une sorte de **WARP ZONE**, comme on retrouve dans les jeux vidéo.

Tu peux maintenant te téléporter n'importe où dans l'histoire. COMMENT ? Il s'agit tout simplement de fermer tes yeux et ton livre. Tu dois ouvrir celui-ci à une page au hasard. Ensuite, pose ton index sur l'une des pages. VOILÀ ! C'est à cet endroit que tu es rendu dans ton aventure maintenant.

Si jamais cette horreur gélatineuse t'aperçoit, elle t'attrapera facilement. Et comme tu le sais, un simple contact avec ses tentacules fera jaillir des pustules partout sur ton visage, et tu n'auras plus jamais besoin de te déguiser à l'Halloween…

Pour savoir si elle va t'apercevoir… TOURNE LES PAGES DU DESTIN ! Mets un signet à cette page, ferme ton livre et ouvre-le au hasard.

Si tu tombes sur un œil ouvert, la méduse t'a vu. Va au numéro 44.

Si tu t'es arrêté sur un œil fermé, elle ne t'a pas vu ! Rends-toi alors au numéro 38.

53 Même si cet édifice peut s'écrouler à tout moment, tu t'y diriges. Un panneau au-dessus de l'entrée indique : IMMEUBLE ABANDONNÉ. Tu te dis que c'est plutôt toute la ville qui est abondonnée. À pas mesurés, tu pénètres à l'intérieur parce que l'air qu'elle contient n'a pu s'échapper. Tu découvres une grande pièce dans laquelle l'eau n'a pas réussi à s'infiltrer. Il y a même de l'électricité, car le plafonnier est toujours allumé. OUAIS ! Sortir un peu de ton scaphandre te fera le plus grand bien. Tu appuies sur le bouton bleu et la portière s'ouvre. Hors de ton appareil, tu te dégourdis les jambes et les bras, puis tu respires à pleins poumons.

Va maintenant au numéro 57.

54 Là, à côté du camion, tu ouvres la portière, les deux yeux fermés, de crainte de voir un corps derrière le volant. ET VOILÀ POUR LA BRAVOURE DE NOTRE LÉGENDE ! Après quelques secondes d'immobilité, tu ouvres lentement un œil. C'EST BEAU ! Il n'y a rien. Tu fouilles le coffre à gant et trouves un étrange plan…

… au numéro 58.

55 Arrivé là, tu saisis la poignée de la porte. Est-elle verrouillée ?

Pour le savoir… TOURNE LES PAGES DU DESTIN !
Mets un signet à cette page, ferme ton livre et ouvre-le au hasard.

Si tu es tombé sur un trou de serrure noir, la porte de la cabine est verrouillée. Va au numéro 59.

Si tu es tombé sur un trou de serrure blanc, la porte est déverrouillée ! Ouvre-la au numéro 51.

56 Sur le flanc d'un rocher, tu aperçois l'entrée de ce qui semble être une grotte oubliée. Difficilement, tu gravis les débris d'une passerelle détruite et tu te rends devant une grande porte de bois pourri qui cède facilement à ton coup d'épaule.

Tu pénètres avec crainte dans la grotte au numéro 48.

57 Après une courte visite des lieux, tu tombes sur un étrange ensemble d'appareils qui, autrefois, étaient connectés les uns aux autres. Lorsque tu les examines, tu remarques qu'il t'est impossible de lire les petits signes qui se trouvent partout sur ces appareils. C'est comme si ces curieux machins provenaient d'une autre planète, ou quelque chose du genre. Soudain, ton cerveau hyper performant en déduit que ce sont ces appareils qui sont responsables de l'engloutissement de cette ville. Alors, tu te dis qu'ils pourraient sûrement aussi ramener la ville à la surface. Si toutefois tu réussis à les rebrancher.

Tente ta chance au numéro 47.

58 On dirait le plan d'une grotte aux galeries labyrinthiques. Mieux vaut l'emporter avec toi. On ne sait jamais, il pourrait te devenir utile.

Mets un signet à cette page afin de le consulter plus tard, si jamais cela s'avère nécessaire. Maintenant, retourne au numéro 39 afin de choisir une autre voie.

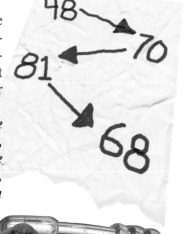

59 Tu tentes de tourner la poignée dans tous les sens, mais rien à faire, elle est verrouillée. En plus, elle semble figée dans la rouille. Tu as tout à coup la très désagréable impression d'être observé.

Retourne-toi au numéro 45.

60 Accroupis, au sommet de la pyramide, tu fais le compte de tes membres : deux bras, deux jambes, tout est là, à sa place respective… SUPER !

Devant toi, il y a une sorte de temple. Tu t'y introduis et découvres, à l'intérieur, des scènes gravées dans les pierres… DES SCÈNES QUI TE REPRÉSENTENT, TOI !

… Au numéro 65.

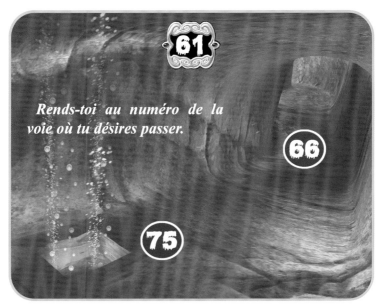

61

Rends-toi au numéro de la voie où tu désires passer.

66

75

LES PAGES DU DESTIN

62 Au sommet de la pyramide, il y a une sorte de temple. Avec précaution, tu t'y introduis et découvres, à l'intérieur, des scènes gravées sur les murs de pierre… DES SCÈNES QUI TE REPRÉSENTENT, TOI !

… Au numéro 65.

63 Lorsque tes deux pieds toucheront le sommet de la pyramide, tu devras effectuer une roulade pour amortir ta chute afin d'éviter les blessures. Cependant, seras-tu capable de faire ce mouvement sans perdre l'équilibre ? Car tu pourrais dégringoler toutes les marches de la pyramide et te blesser vraiment.

Pour le savoir, mets un signet à cette page, ferme ton livre Passepeur, et dépose-le, debout devant toi.

Si ton livre tient debout dix secondes, tu as réussi à atterrir sur le sommet de la pyramide sans tomber et sans te blesser. Rends-toi alors au numéro 60.

Cependant, si ton livre tombe avant que les dix secondes se soient écoulées, tu tombes toi aussi, et tu dégringoles toutes les marches de la pyramide jusqu'au numéro 67.

64 Alors que tu déambules dans une rue large, comme font les touristes en vacances, tu es attiré par une étrange statue située dans un parc aux arbres lugubres et sans feuilles. C'est assez bizarre de voir dans cet endroit une espèce de statue de dinosaure mutant… À TROIS TÊTES ! Habituellement, c'est là que sont érigées les statues des hommes et des femmes qui ont marqué l'histoire de la ville.

Poussé par cette curiosité maladive qui te caractérise…

… tu t'approches de la statue au numéro 80.

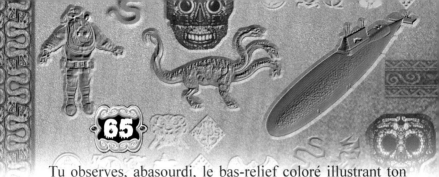

65

Tu observes, abasourdi, le bas-relief coloré illustrant ton scaphandre. Comment est-ce possible ? Le sous-marin qui t'a amené au lieu de ta descente y est aussi représenté, ainsi que le dinosaure mutant à trois têtes. Ce temple a été construit il y a des milliers d'années, et tu y retrouves des représentations de tout cela ? Se pourrait-il que ta visite en ce lieu eût été prédite par de très anciens augures ? C'est comme si cette grande civilisation éteinte avait attendu en vain son sauveur… TOI !

Le doute s'installe dans ta tête. Seras-tu vraiment capable de mener à bien cette mission titanesque ?

Va au numéro 72.

66

61 **73**

Tu constates que cette foutue grotte est pire qu'un labyrinthe !
Rends-toi au numéro où tu veux aller.

LES PAGES DU DESTIN

67 BOUM ! Da BOUM ! BOUM ! BOUM !

Sur le dos, dans l'herbe, au pied de la pyramide, tu fais le compte de tes membres : un, deux, trois, quatre ! Tout est là. Et étrangement, tu ne ressens aucune douleur. En plus d'être doté d'une intelligence supérieure, tu sembles être pourvu d'une solide constitution physique ! Mais, lorsque tu tentes de te relever, tu aperçois une sorte de petit serpent rouge et noir enroulé autour de ta cheville. OUCH ! Il te mord et s'enfuit après coup. ES-TU EMPOISONNÉ MORTELLEMENT ? Non ! Car avant de partir pour cette mission, tu as justement reçu un tas de vaccins pour diminuer la virulence des morsures d'animaux et des piqûres d'insectes. (Alors, enlève seulement trois points à ta ligne de vie.)

Rends-toi maintenant au sommet de la pyramide au numéro 62.

68

Ton visage s'illumine d'un grand sourire, car tu n'es jamais passé par ici. Depuis le temps que tu tournes en rond…

Le passage donne sur un escalier qui descend vers de plus grandes profondeurs. Des espèces de serpents de mer blancs aux yeux rouges se tortillent partout autour de toi, sur les parois rocheuses. DÉGOÛTANT !

Tu atteins le pied de l'escalier au numéro 87.

69

Les joints de caoutchouc de ton scaphandre commencent à flancher et l'eau pénètre à l'intérieur. Il te vient tout à coup une idée... IL ÉTAIT GRAND TEMPS ! Tu appuies sur un bouton pour allumer ton projecteur. Le puissant faisceau éblouit les trois têtes du dinosaure mutant. Libéré de leur mâchoire mortelle, tu tombes lentement sur le fond marin, comme une feuille tombe à l'automne sur le sol. Éblouies, et incapables de voir quoi que ce soit, les trois têtes se mettent à s'attaquer entre elles... ET À SE DÉVORER ! Le spectacle est si répugnant... QUE TU VOMIS DANS TON SCAPHANDRE ! NOOOOOON ! (Enlève trois points à ta ligne de vie.)

Retourne maintenant au numéro 39 afin de choisir une autre voie.

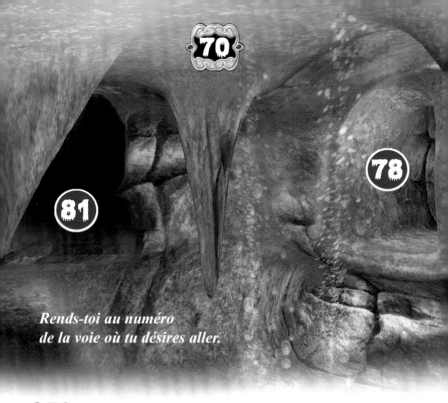

70

78

81

*Rends-toi au numéro
de la voie où tu désires aller.*

71 **ZRAAAAZZ !** PULVÉRISÉ ! Avec une tête en moins, le dinosaure s'enfuit des lieux comme un pauvre toutou blessé. Une fois que tu es certain qu'il a son compte, tu en profites pour terminer ta visite. Dans les rues désertes, à part les voitures qui rouillent et les algues qui poussent un peu partout, il ne se passe rien. Il n'y a même pas un poisson dans les parages. Tu arrives devant ce que tu crois être les vestiges d'un kiosque à journaux…

… au numéro 74.

Perdu dans tes pensées, tu quittes lentement le petit temple. Dehors, lorsque tu émerges du petit passage, tu arrives face à face avec ceci...

ÇA Y EST ! Tu as résolu l'un des plus grands mystères de l'histoire de l'homme... TU AS RÉUSSI À TROUVER LE YÉTI ! L'abominable homme des neiges, le Big Foot, ou le Sasquatch, appelle-le comme tu veux, mais tu as fait sa découverte.

Va au numéro 79.

LES PAGES DU DESTIN

73

OUPS ! C'est une impasse…

Retourne en arrière au numéro 48 et ne perd pas espoir.
Tu finiras bien par sortir de cette grotte maudite un jour.

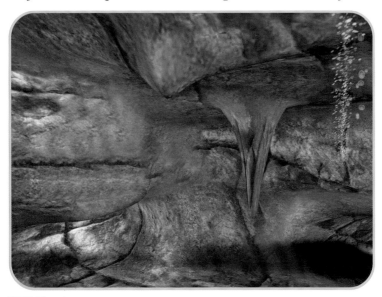

74 Tu es tout étonné de voir que derrière la vitrine du comptoir, il y a encore quelques exemplaires intacts de ce qui semble être le dernier journal publié le jour où une catastrophe a frappé cette ville.

À la recherche du moindre indice pouvant t'aider dans ta mission, tu t'approches de la vitrine pour lire les grands titres…

… *au numéro 86.*

Rends-toi au numéro où tu veux aller.

84

66

LES PAGES DU DESTIN

76 **SVOOUUCH !** ZUT ! Tu l'as complètement raté ! Comment tu as fait ? IL EST POURTANT ÉNORME ! Comme dans un cauchemar, il se met à avancer vers toi.

Alors que tu fais pivoter ton scaphandre pour tenter de t'enfuir, l'une des trois effroyables têtes du dinosaure te barre la route. De chaque côté de toi, les deux autres têtes apparaissent aussi. Complètement entouré, tu mets ton très magnifique et très performant cerveau à l'œuvre afin qu'il trouve une solution à ce triple problème. S'il y en a une, ton cerveau va certainement la trouver.

Va au numéro 83.

77 TU T'ARRÊTES SEC ! Des feuilles dans les arbres ? Mais qu'est-ce que ça signifie ? Tu pitonnes l'ordinateur à l'intérieur du scaphandre pour que la sonde analyse ce qu'il y a à l'extérieur. À l'écran apparaît le résultat : azote 78 %, oxygène 21 %, autres gaz 1 %. MAIS C'EST DE L'AIR ! Tu sors de ton scaphandre et décides de poursuivre sans ton appareil. Tu te dis qu'après tout, aussi haut, au pied de cet escalier inaccessible, personne ne va venir tripoter ton truc. Il sera sûrement là à ton retour. Ton lazer-K à la ceinture, tu amorces avec précaution ta descente.

Les deux mains accrochées à la dernière marche de l'escalier, tu te laisses tomber vers le sommet de la pyramide au numéro 63.

Rends-toi au numéro que tu as choisi.

Alors que tu cherches une façon de t'éloigner de cette créature, tu balaies discrètement l'horizon du regard et constates qu'elle n'est pas seule. Une horde de ces immondes bêtes mi-humaines et mi-animales s'amène.

Vont-elles parvenir à t'attraper ? Pour le savoir…

TOURNE LES PAGES DU DESTIN !

Si elles t'attrapent, va au numéro 82.

Si tu réussis à t'enfuir, cours jusqu'au numéro 88.

80

Lorsque tu n'es plus qu'à quelques mètres de la grande statue, LE DINOSAURE OUVRE SES SIX YEUX !

Tu dégaines alors ton lazer-K et tu appuies sur la gâchette.
Mets un signet à cette page, ferme ton livre et essaie de l'ouvrir en visant bien le centre.
Si tu rates ton tir, va au numéro 76.
Si tu réussis à atteindre ce terrifiant dinosaure avec le rayon de ton lazer-K, rends-toi au numéro 71.

LES PAGES DU DESTIN

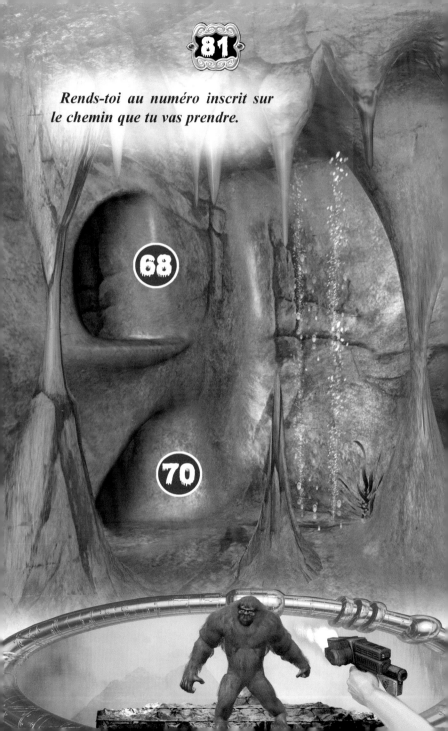

*Rends-toi au numéro inscrit sur
le chemin que tu vas prendre.*

68

70

82 AÏE ! Tu es rapidement entouré et capturé. Tu te rappelles soudain avoir lu dans un livre d'histoire que les anciennes civilisations faisaient des sacrifices humains pour leur dieu : on plantait un couteau en obsidienne pour arracher le cœur de la victime, et ensuite, on lui tranchait la tête... OUAH ! COMME C'EST TERRIBLE ! Tu essaies de te consoler en pensant que ces créatures veulent peut-être seulement... TE MANGER AUSSI ! OUAH ! (Enlève deux points à ta ligne de vie.)

Va au numéro 90.

83 Mais il n'en trouve aucune !

Autour de toi, les trois têtes du dinosaure mutant foncent, gueule ouverte. Jamais, dans ta vie, tu n'as vu autant de longues dents arriver vers toi. Tu tentes une manœuvre, et tu te laisses choir sur le fond marin. Mais il y a une chose que tu as oubliée : dans l'eau, tes mouvements sont beaucoup plus lents. Chaque tête du grand monstre parvient à attraper l'un de tes membres. Toutes les trois, elles se mettent à tirer dans le but de disloquer ton scaphandre, qui lui, est sur le point de céder.

Va au numéro 69.

84 OH ! Tiens ! Mais qu'est-ce que tu vois là ? UN TÉLÉPHONE MARIN ! Mais est-ce possible ? Tu décroches le combiné à la forme d'un coquillage et tu pianotes les touches. Tu ne perds rien à essayer. Soudain, comme par miracle, une sonnerie retentit et une voix se fait entendre, même sous l'eau… CELLE DE TA MÈRE ! Elle est méga contente de t'entendre. Tu la rassures et tu lui dis que tout va bien et que tu es en ce moment même à des milliers de mètres sous l'eau, perdu dans une grotte sombre…

Au bout du fil, elle se met à pleurer et s'inquiète pour toi. BON ! Avec cet appel, tu n'as peut-être pas réussi à rassurer ta mère, mais au moins, le plaisir que cela t'a procuré t'a fait retrouver tous les points de ta ligne de vie… (Remets ta ligne de vie à dix.)…

… Retourne au numéro 48.

85 Ah ! comme c'est curieux, cette partie de la grotte est éclairée… PAR DES SANGSUES LUISANTES DES PROFONDEURS ! Ces étranges vers gluants, en plus d'avoir la propriété d'éclairer les endroits sombres, peuvent sucer le sang des crustacés, même à travers leur carapace. Je ne sais pas si tu as remarqué, mais pour eux, tu as vraiment l'apparence d'un gros crabe appétissant ! Plusieurs se sont déjà collés à tes jambes. Tu te sens faiblir, de plus en plus. Dans tes veines, le sang se fait de plus en plus rare. (Enlève un point à ta ligne de vie.) Tu appuies sur le bouton pour créer une surtension partout autour de ton scaphandre métallique. À ton contact, les sangsues se tortillent de douleur et s'éloignent.

Tu en profites toi aussi pour t'éloigner et retourner au numéro 48.

LE CONQUÉRANT DE LA TERRE

L'ignoble conquérant Zorias, le maître des profondeurs de la terre, a lancé hier un ultimatum au gouvernement : « Rendez les armes, devenez mes esclaves, et la ville sera épargnée. Sinon, la terre entière connaîtra des années d'effroyables cataclysmes. Votre ville, ainsi que toutes les autres de la planète, seront englouties pour l'éternité. C'EST VOTRE DERNIÈRE CHANCE ! »

Voilà d'où proviennent tous les malheurs qui menacent la planète ; un conquérant immortel et très puissant s'est juré, il y a de cela des centaines d'années, de devenir le maître incontesté de la terre, même au prix de milliards de vies. Ce mégalomane d'une autre époque doit être arrêté à tout prix. MAIS OÙ SE CACHE-T-IL ?

Gonflé à bloc, tu retournes au numéro 39 afin de choisir et de trouver la bonne voie.

LES PAGES DU DESTIN

Au pied de l'escalier, c'est un spectacle grandiose qui s'offre à toi. Tu en déduis qu'il est arrivé à cette ville maya très ancienne la même chose qui va se produire aux villes modernes. Tu évalues la hauteur entre toi et le sommet de la pyramide. Bon, selon ton calcul savant, si tu te laisses tomber, l'eau va ralentir ta chute et tu atterriras sur le sommet de la pyramide, comme si tu étais en parachute. Alors que tu t'apprêtes à faire le grand saut, tu aperçois, dans les arbres… DES FEUILLES !

Rends-toi au numéro 77.

LES PAGES DU DESTIN

88

Agile comme une panthère, tu dévales les marches du temple et tu disparais dans une forêt dense et humide. Après une course folle, tu t'arrêtes, question d'écouter si tu es poursuivi… SILENCE TOTAL ! Tu les as semés. Une jolie chute t'offre de te rafraîchir. Sans hésiter, tu ingurgites un litre de cette eau fraîche. (Remets tous tes points à ta ligne de vie.)

Va au numéro 91.

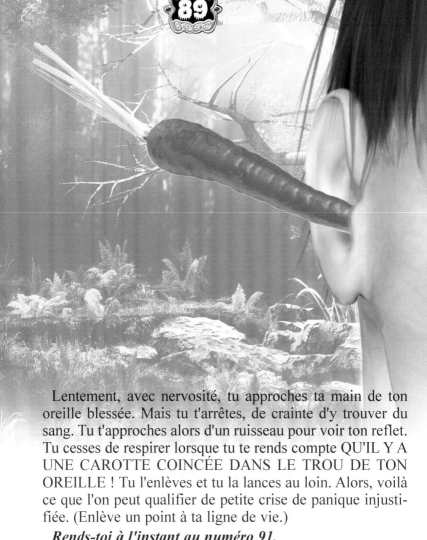

Lentement, avec nervosité, tu approches ta main de ton oreille blessée. Mais tu t'arrêtes, de crainte d'y trouver du sang. Tu t'approches alors d'un ruisseau pour voir ton reflet. Tu cesses de respirer lorsque tu te rends compte QU'IL Y A UNE CAROTTE COINCÉE DANS LE TROU DE TON OREILLE ! Tu l'enlèves et tu la lances au loin. Alors, voilà ce que l'on peut qualifier de petite crise de panique injustifiée. (Enlève un point à ta ligne de vie.)

Rends-toi à l'instant au numéro 91.

LES PAGES DU DESTIN

90

La horde frénétique t'amène de force au centre de ruines où trône UNE GRANDE MARMITE sur un feu ardent ! Bon ! Au moins, tu es fixé, tu ne seras pas sacrifié pour un dieu quelconque. Autour de toi, tu remarques alors, plantées sur des piquets, des petites têtes humaines, desséchées. AH ! Tu ne seras pas non plus mangé, tu seras plutôt cuit et bouilli pendant des heures, jusqu'à ce que ta tête soit réduite considérablement par la cuisson. Voilà ! Tu es sur le point de compléter la collection macabre de têtes rétrécies de ces créatures végétariennes. BEL AVENIR N'EST-CE PAS ?

ALLEZ ! Saute dans la marmite au numéro 95.

LES PAGES DU DESTIN

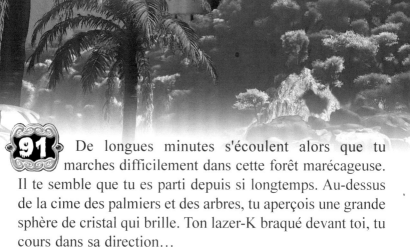

91 De longues minutes s'écoulent alors que tu marches difficilement dans cette forêt marécageuse. Il te semble que tu es parti depuis si longtemps. Au-dessus de la cime des palmiers et des arbres, tu aperçois une grande sphère de cristal qui brille. Ton lazer-K braqué devant toi, tu cours dans sa direction…

Au numéro 94.

92 SVOOUUCH ! Tu l'as complètement raté. Le droïde riposte et tire à son tour. ZWAaaNG ! Un rayon en spirale provenant de l'extrémité de son bras te frappe de plein fouet. (Enlève quatre points à ta ligne de vie.) Tu voudrais bien tirer de nouveau, mais tu es trop étourdi. Lui aussi d'ailleurs parce qu'il a concentré toute son énergie sur la puissance de son rayon dévastateur ; ses batteries sont maintenant complètement épuisées.

En titubant, tu te rends au numéro 104.

Ce coffre possède un trou de serrure. Est-il verrouillé ?

Pour le savoir… TOURNE LES PAGES DU DESTIN ! Mets un signet à cette page, ferme ton livre et ouvre-le au hasard.

Si tu es tombé sur un trou de serrure noir, le coffre est verrouillé. Va au numéro 97.

Si tu es tombé sur un trou de serrure blanc, le coffre est déverrouillé ! Ouvre-le au numéro 102.

LES PAGES DU DESTIN

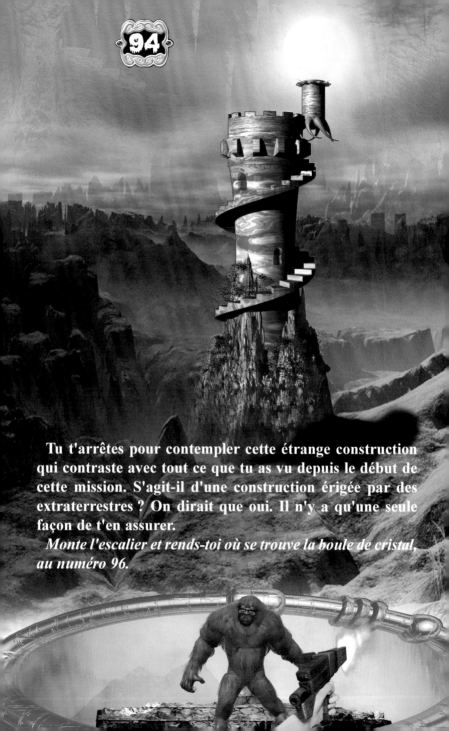

Tu t'arrêtes pour contempler cette étrange construction qui contraste avec tout ce que tu as vu depuis le début de cette mission. S'agit-il d'une construction érigée par des extraterrestres ? On dirait que oui. Il n'y a qu'une seule façon de t'en assurer.

Monte l'escalier et rends-toi où se trouve la boule de cristal, au numéro 96.

PLOUCH !

Jusqu'au cou, dans un bouillon infect, tu flottes entre les carottes et les oignons de la dernière soupe concoctée dans ce chaudron. Les mains libres, tu attrapes ton lazer-K et tu tires dans le liquide chaud, question de voir ce qui va se passer.

ZRAAAAZZ ! et méga SPLOUCH !

Autour de toi, la marmite vole en mille morceaux. Sous une pluie de bouillon et de légumes, les créatures s'enfuient en pleurnichant comme des gros bébés sans couches. SUPER ! Tu enjambes les branches enflammées qui chauffaient la marmite et tu décampes vers la forêt. Lorsque, à bout souffle, tu t'arrêtes pour respirer un peu, tu remarques que tu n'entends plus de ton oreille droite. Est-ce que le souffle de la déflagration t'a rendu sourd d'une oreille ?

Va au numéro 89 pour le savoir.

LES PAGES DU DESTIN

Tu as souvent entendu parler de ces fameuses boules de cristal dans lesquelles il est possible de voir l'avenir. Dans celle-ci, tu peux y voir… LE PRÉSENT ! Comme une simple caméra vidéo. Oui ! Tu y vois des images d'en haut, ta ville adorée. De grandes vagues se brisent sur les immeubles, l'eau a encore monté dangereusement. Les images changent et tu vois maintenant la belle ville de Paris, enfin ce qu'il en reste. Oui ! Elle n'est plus qu'une vaste étendue d'eau, percée par la tour Eiffel. Tous les beaux édifices qui ont fait l'histoire ont été engloutis et viennent de sombrer dans l'oubli.

Tu aperçois un passage qui te conduit à l'intérieur même de cette curieuse construction, au numéro 100.

97 VERROUILLÉ ! Comme c'est malheureux. Mais tu ne laisseras pas une simple caisse de bois t'arrêter, toi, la légende. Tu soulèves le coffre au-dessus de ta tête et tu le lances de toutes tes forces sur le plancher de pierres. BRaaaNG ! Le coffre a résisté, mais tu as fait un trou dans le plancher. Des araignées sauteuses et velues apparaissent dans l'ouverture. Rapide, l'une d'elles bondit sur toi et plante ses mandibules dans ta jambe. AÏE ! (Enlève deux points à ta ligne de vie.) Rassasiée de ton sang, elle repart par où elle est arrivée.

Retourne au numéro 100 afin de poursuivre ton exploration de l'endroit.

98 Tu reconnais tout de suite ce livre, il s'agit d'un journal intime. Est-ce que tu devrais l'ouvrir pour le lire, même si ce n'est vraiment pas bien ? QUOI ! EST-CE QUE TU DEVRAIS L'OUVRIR, POUR LE LIRE, MÊME SI CE N'EST VRAIMENT PAS BIEN ? LA MORALE, ON S'EN FOUT !!! IL Y A DES MILLIARDS DE PERSONNES QUI SONT SUR LE POINT D'ÊTRE SUBMERGÉES PAR LES OCÉANS À CAUSE DU PROPRIÉTAIRE DE CE JOURNAL INTIME !

Ouvre-le au numéro 105.

LES PAGES DU DESTIN

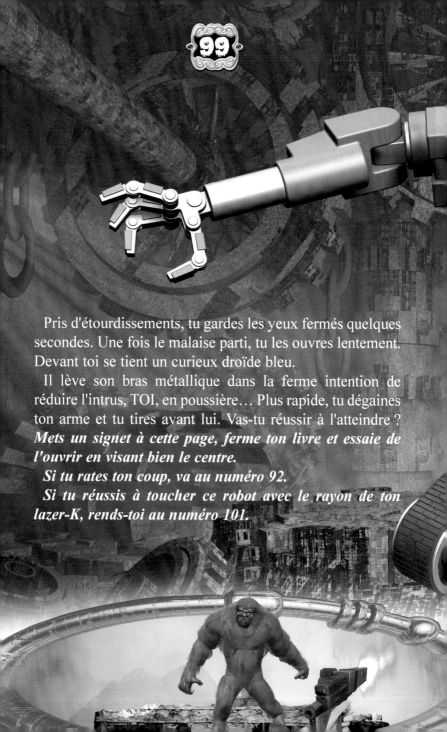

Pris d'étourdissements, tu gardes les yeux fermés quelques secondes. Une fois le malaise parti, tu les ouvres lentement. Devant toi se tient un curieux droïde bleu.

Il lève son bras métallique dans la ferme intention de réduire l'intrus, TOI, en poussière… Plus rapide, tu dégaines ton arme et tu tires avant lui. Vas-tu réussir à l'atteindre ? *Mets un signet à cette page, ferme ton livre et essaie de l'ouvrir en visant bien le centre.*

Si tu rates ton coup, va au numéro 92.

Si tu réussis à toucher ce robot avec le rayon de ton lazer-K, rends-toi au numéro 101.

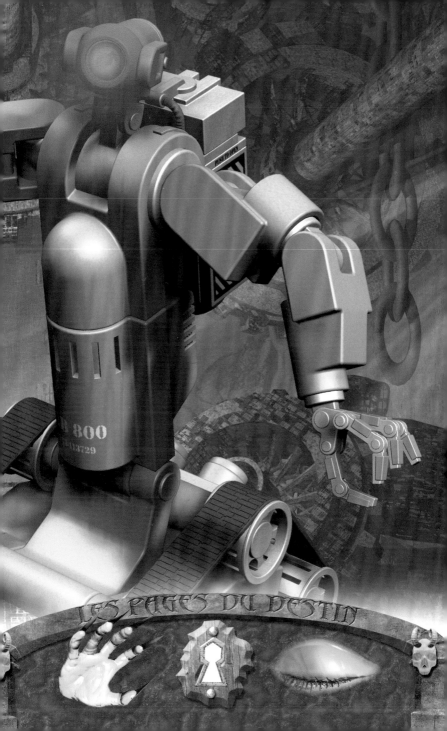

LES PAGES DU DESTIN

Mais qu'est-ce que c'est que cet endroit ? On dirait l'antre d'un sorcier médiéval. Étant donné que le temps presse, tu te mets tout de suite à fouiller l'endroit pour en savoir plus.

Rends-toi au numéro que tu auras choisi…

LES PAGES DU DESTIN

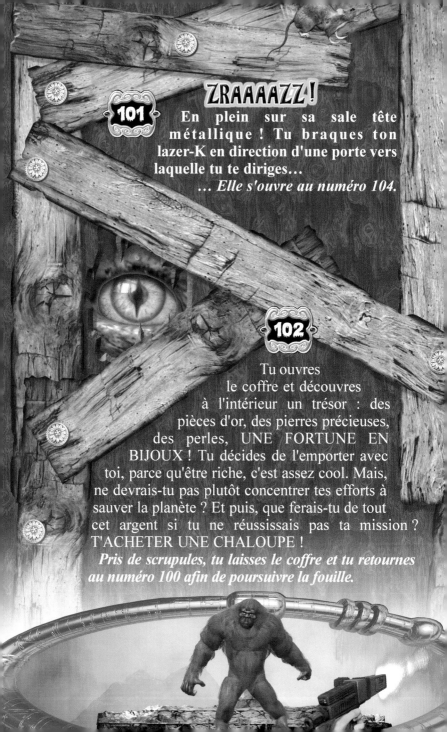

ZRAAAAZZ !

101

En plein sur sa sale tête métallique ! Tu braques ton lazer-K en direction d'une porte vers laquelle tu te diriges…

… Elle s'ouvre au numéro 104.

102

Tu ouvres le coffre et découvres à l'intérieur un trésor : des pièces d'or, des pierres précieuses, des perles, UNE FORTUNE EN BIJOUX ! Tu décides de l'emporter avec toi, parce qu'être riche, c'est assez cool. Mais, ne devrais-tu pas plutôt concentrer tes efforts à sauver la planète ? Et puis, que ferais-tu de tout cet argent si tu ne réussissais pas ta mission ? T'ACHETER UNE CHALOUPE !

Pris de scrupules, tu laisses le coffre et tu retournes au numéro 100 afin de poursuivre la fouille.

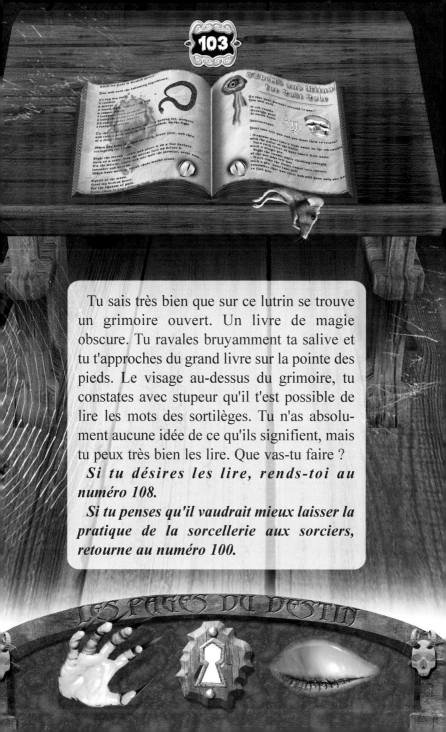

Tu sais très bien que sur ce lutrin se trouve un grimoire ouvert. Un livre de magie obscure. Tu ravales bruyamment ta salive et tu t'approches du grand livre sur la pointe des pieds. Le visage au-dessus du grimoire, tu constates avec stupeur qu'il t'est possible de lire les mots des sortilèges. Tu n'as absolument aucune idée de ce qu'ils signifient, mais tu peux très bien les lire. Que vas-tu faire ?

Si tu désires les lire, rends-toi au numéro 108.

Si tu penses qu'il vaudrait mieux laisser la pratique de la sorcellerie aux sorciers, retourne au numéro 100.

Tu regardes avec crainte et admiration cette ville fantastique. Voilà le domaine du fou qui désire posséder la terre. Ça, par contre, tu ne l'as pas oublié…

Fouille cette grande cité à sa recherche au numéro 109.

105 Après avoir lu quelques pages, tu découvres avec une joie à peine contrôlée que tu es bel et bien sur la piste du responsable des catastrophes qui menace la terre entière. BONNE NOUVELLE ! Il s'agit bien d'un ignoble conquérant nommé Zorias, maître des profondeurs de la Terre. Une sorte de sorcier immortel et très puissant qui s'est juré, il y a de cela des milliers d'années, de devenir le maître incontesté de la terre, même au prix de milliards de vies. Ce mégalomane d'une autre époque doit être arrêté à tout prix. MAIS OÙ SE CACHE-T-IL ?

Retourne au numéro 100 pour tenter de le découvrir.

LES PAGES DU DESTIN

Une ville constituée entièrement de métal ! Bouche bée, tu l'examines attentivement lorsque tu aperçois, dans le télescope, une très haute tour brillante…

Tu es soudain téléporté à l'intérieur même de cette tour au numéro 99.

07 Cette étagère est pleine de trucs intéressants : des pots remplis d'ingrédients qui servent à la sorcellerie, des livres de magie noire… ET UN CRÂNE QUI FONCE VERS TOI POUR TE MORDRE ! OUAH ! Tu tentes de reculer, mais tu trébuches et tu te retrouves sur le dos. Le crâne maléfique saute sur ton torse et te mord au cou tel un vampire (enlève un point à ta ligne de vie). D'un solide revers de la main, tu l'envoies faire un vol plané en direction d'un mur où il se fracasse comme une assiette en porcelaine. CRRaaaC !

La main au cou, tu te relèves. Vas-tu maintenant devenir un affreux vampire qui se lève la nuit pour sucer le sang de ses victimes ? NON ! On ne devient pas vampire lorsqu'un crâne nous mord, voyons.

Retourne au numéro 100 et continue de fouiller l'antre du sorcier.

08 Parce que légende est synonyme de bravoure, tu lis le premier sortilège : nu sorg zen ! Soudain, ton nez double de dimension. NOOON ! (Enlève un point à ta ligne de vie.)

Tu lis le deuxième sortilège en espérant qu'il s'agisse du sortilège de neutralisation : essuop sel xuevehc ! NOOON ENCORE ! Tes cheveux se mettent à pousser, et à pousser sans s'arrêter. (Enlève un autre point à ta ligne de vie.)

En étudiant bien la façon dont sont écrits les deux sortilèges dans le grimoire, tu comprends maintenant ce que tu dois dire pour que tout s'arrête.

Si tu penses que tu devrais prononcer l'incantation suivante : « rinever à al elamron ! » va au numéro 111.

Si tu crois que tu devrais plutôt dire celle-ci : « ia'j étép ne essalc ! » rends-toi au numéro 115.

109 Dans les rues désertes, tu déambules à la recherche de ce Zorias. Des heures plus tard, tu ne l'as toujours pas trouvé. Tu songes tout à coup à ce qui doit se passer là-haut, sur la surface de la Terre, à cause de lui. Tu redoubles d'ardeur et tu te mets systématiquement à fouiller chaque édifice, un à un. Mais peine perdue, ce conquérant reste introuvable, et le temps presse vraiment. Mais, comme disait ton grand-père qui était un très grand chasseur : « Dans une immense forêt, il est plus facile d'attirer une proie que de la trouver. »

Tu réfléchis quelques secondes, puis tu te lances à l'intérieur de l'édifice sur lequel trône une grande antenne, au numéro 112.

110 Mais à quoi peut bien servir ce télescope, ici-bas ? Dans cette immense grotte, il est impossible de voir les étoiles. Tu y colles ton œil droit et tu scrutes l'horizon par une fenêtre. Tu y aperçois un tas de choses, comme par exemple, ton scaphandre qui t'attend toujours au pied de l'escalier. SUPER ! Tu aperçois aussi, un peu plus bas, cette bande de cinglés de yétis, ou tu ne sais trop quoi. Ils sont là à te chercher en bas de l'escalier. Faudra que tu penses à les éviter à ton retour. Lorsque tu braques le télescope dans une autre fenêtre de l'antre…

… tu aperçois, au numéro 106.

111. Aussitôt que tu as dit : « RINEVER À AL ELAMRON ! » ton nez reprend sa taille et tes cheveux reprennent leur longueur normale. OUF !

Oui ! Voilà la bonne incantation. Tu as deviné que les mots étaient inversés. Ce sont des sortilèges simples, mais combien efficaces.

Tu retournes au numéro 100 afin de poursuivre la fouille du repaire du sorcier.

112. Comme tu l'avais prévu, tu trouves tout ce qu'il te faut, dans cet édifice, pour entrer en communication avec tes supérieurs : radio à ondes courtes, téléphone, télégraphe, TOUT ! Tu envoies tes instructions : « Un sorcier diabolique vivant dans les abîmes de la mer veut s'approprier la terre entière. Ce conquérant fou a placé, dans chaque ville, des appareils étranges qui ont la propriété de créer de grands cataclysmes. Trouvez-les afin de les détruire et tout rentrera dans l'ordre. »

Une fois certain que ton message a bien été reçu, tu quittes l'édifice d'un pas résolu, et tu te places dans le milieu de la rue pour que Zorias te voie. Lorsque cet ignoble sorcier apprendra que tu as anéanti toutes ses chances de devenir maître de la terre, ça va vraiment le mettre en rogne. Et comme disait ton grand-père : « Si tu es rusé, ta proie viendra à toi… »

Lazer-K en main, tu attends patiemment qu'il se manifeste au numéro 113.

Une heure passe, et Zorias n'est nulle part en vue. À demeurer debout comme ça, tu commences à avoir de vilaines crampes un peu partout. Alors que tu es sur le point de laisser tomber, trois droïdes volants se pointent à l'extrémité de la rue.

Comme dans les films de cowboys, tu les vises avec ton lazer-K. Vas-tu réussir à les atteindre ?

Mets un signet à cette page, ferme ton livre et essaie de l'ouvrir en visant bien le centre.

Si tu rates ton coup, va au numéro 116.

Si tu réussis à toucher les droïdes avec le rayon de ton lazer-K, rends-toi au numéro 118.

LES PAGES DU DESTIN

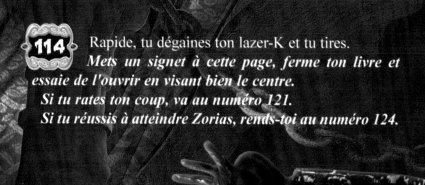

114 Rapide, tu dégaines ton lazer-K et tu tires.

Mets un signet à cette page, ferme ton livre et essaie de l'ouvrir en visant bien le centre.

Si tu rates ton coup, va au numéro 121.

Si tu réussis à atteindre Zorias, rends-toi au numéro 124.

115 Avec confiance, tu prononces l'incantation : « ia'j étép ne essalc ! » Mais les secondes s'écoulent et rien ne se passe. Ton nez demeure très gros et tes cheveux continuent de pousser. (Enlève deux autres points à ta ligne de vie.)

Pris de désespoir, tu t'élances vers l'étagère en espérant y trouver une potion qui annulera l'effet des sortilèges. Tu saisis une fiole et tu ingurgites tout le contenu… SANS REGARDER DE QUOI IL S'AGISSAIT ! Mais tu es une légende avec… ÉNORMÉMENT DE CHANCE ! Ton nez reprend sa taille et tes cheveux reprennent leur longueur normale. OUF !

Retourne au numéro 100 et agis avec prudence cette fois-ci.

LES PAGES DU DESTIN

116 **SVOOUUCH !** ZUT ! C'est raté !

Les trois droïdes foncent sur toi, ils t'attrapent (enlève trois points à ta ligne de vie) et avec leurs bras mécaniques, ils te soulèvent pour t'emporter…

… vers le numéro 120.

117 **SVOOUUCH !** Tu l'as raté… ENCORE !

Zorias pointe son sceptre dans ta direction et te lance une boule d'énergie négative.

Cinq autres points de ta ligne de vie viennent encore de disparaître. Va au numéro 126.

18 **ZRAAAAZZ !** SUPER ! Tu en as pulvérisé deux d'un seul coup. Cependant, le troisième arrive à toute allure vers toi. Si vite, que tu n'as pas le temps de tirer une deuxième fois. Le droïde t'attrape (enlève un point à ta ligne de vie) avec son bras mécanique et te soulève pour t'emporter…

… vers le numéro 120.

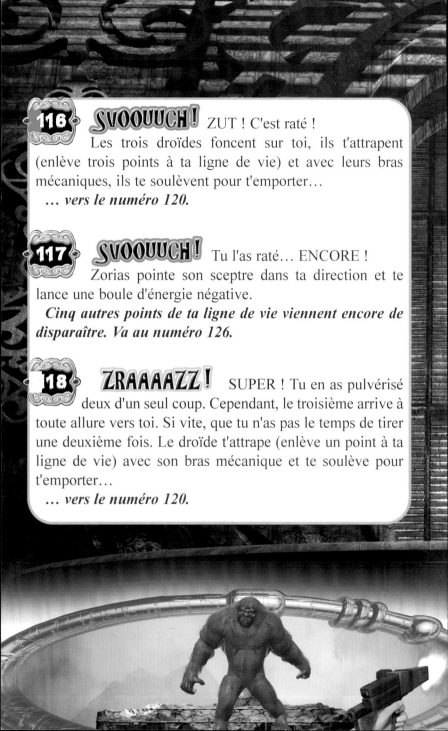

LES PAGES DU DESTIN

119 Frappé mortellement, Zorias titube et s'affaisse sur le plancher, complètement inerte. LE SORCIER CONQUÉRANT EST MORT !

Rends-toi au numéro 133.

120 Après avoir été transporté sur plusieurs dizaines de mètres, tu es déposé à l'intérieur d'un ascenseur qui te conduit encore plus profondément dans le sol : VERS LE REPAIRE MÊME DE ZORIAS !

Lorsque les portes s'ouvrent, tu l'aperçois, assis sur son trône, au numéro 125.

121 SVOOUUCH ! C'est raté…

Zorias pointe son sceptre et projette une boule de feu qui te frappe de plein fouet.

SLOOUUMM !

Cinq points de ta ligne de vie viennent de disparaître d'un seul coup. Tu pointes ton arme et tu tires à nouveau.

Si tu rates encore ton coup, va au numéro 117.

Si tu réussis à atteindre Zorias, rends-toi au numéro 123.

122  Tu l'as raté !

Zorias soulève son sceptre et tire une salve de liquide acide vers toi.

SLUUUURB !

Cinq points de ta ligne de vie viennent de disparaître d'un seul coup. Tu tires encore une fois avec ton arme.

Vise bien le centre de ton livre.

Si tu rates ton coup, va au numéro 127.

Si tu réussis à atteindre ton adversaire, rends-toi au numéro 130.

123 **ZRAAAAZZ !** TU L'AS ENFIN TOUCHÉ !

Zorias tombe lourdement sur le sol, puis il se relève, blessé. Tu pointes ton arme et tu tires encore…

Vise avec ton livre...

Si tu rates ton coup, va au numéro 127.

Si tu réussis à l'atteindre une autre fois, rends-toi au numéro 130.

124 **ZRAAAAZZ !** TU L'AS TOUCHÉ AVEC TON PREMIER TIR !

Zorias vacille, tombe sur le sol, puis se relève. Tu tires à nouveau.

Vise encore avec ton livre…

Si tu rates ton coup, rends-toi au numéro 122.

Si tu réussis encore à atteindre Zorias, va au numéro 129.

Une fois que tu l'as trouvé, cela te procure une grande satisfaction. (Tu retrouves tous tes points de vie.) Vous vous regardez longuement tous les deux. La haine mutuelle que vous ressentez est bien réelle.

« J'ai ordonné à mes droïdes de te laisser ton arme, te dit-il en souriant de manière perfide. Je veux que ta défaite soit absolue. Tu as réussi à sauver ta planète chérie, mais personne ne viendra te sauver toi… d'une mort certaine. »

Dans la salle du trône, son rire diabolique fait écho sur les murs.

HA ! HA ! HA ! HA ! HA !

Tu vas lui répondre par le feu de ton lazer-K au numéro 114.

126 Une multitude de lumières aveuglantes apparaissent. Tout à coup, tu te sens bien, très bien…
Quelques années plus tard, dans chaque ville du monde, on a érigé une statue de toi. Des livres te sont consacrés. Les enfants portent des chandails sur lesquels se retrouve ton portrait. Il y a même un jeu vidéo qui porte ton nom. Les gens de la planète entière n'oublieront jamais leur légende, disparue…

FIN

LES PAGES DU DESTIN

27 **SVOOUUCH !** Tu l'as raté…

Zorias pointe de nouveau son sceptre sur toi et tire une puissante décharge électrique.

CHRAaaaaK ! Cette attaque t'est fatale…

Cinq autres points de ta ligne de vie viennent encore de disparaître. Va au numéro 126.

28 **SVOOUUCH !** C'est raté…

Zorias sourit, soulève encore son sceptre magique, et il fait feu sur toi. **TRAaaaK ! TRAaaaK !**

Tes cinq derniers points de vie viennent de disparaître d'un seul coup. Rends-toi au numéro 126.

29 **ZRAAAAZZ !** WOW ! TU AS RÉUSSI À L'ATTEINDRE ENCORE ! Tu te places devant et tu soulèves ton arme…

Vise avec ton livre…

Si tu rates ton coup, va au numéro 132.

Si tu réussis à atteindre encore Zorias, rends-toi au numéro 119.

30 **ZRAAAAZZ !** EN PLEIN DANS LE MILLE !

Zorias tombe sur ses deux genoux, puis se relève. ZUT ! Tu te places devant lui de nouveau, et tu appuies sur la gâchette de ton arme…

Vise avec ton livre…

Si tu rates ton coup, va au numéro 128.

Si tu réussis à l'atteindre, rends-toi au numéro 119.

131 **SVOOUUCH !** TU AS ENCORE MAL VISÉ…

Zorias se met à rire aux éclats. Il sait que maintenant, il te tient à sa merci. Il prononce une incantation, et de son sceptre, un fantôme jaillit et t'englobe.

SHHHHHHHHHHHHH !

Les cinq derniers points de ta ligne de vie viennent de disparaître. Va au numéro 126.

132 **SVOOUUCH !** C'est raté…

Zorias montre maintenant des signes d'impatience. Il en a fini de jouer avec toi. Il pointe son sceptre vers ton torse et t'envoie faire un vol plané de plusieurs mètres. BaaanG ! Ton corps frappe le mur de pierre avec violence.

Cinq points de ta ligne de vie viennent de disparaître d'un seul coup. Avec difficulté, tu te relèves et tu pointes encore une fois ton arme vers lui.

Vise bien avec ton livre.

Si tu rates encore ton coup, va au numéro 131.
Si tu réussis à l'atteindre, rends-toi au numéro 119.

133 Ta mission remplie, il ne te reste qu'à rebrousser chemin. Il n'y a pas à dire, pour une tâche colossale, ça en était toute une. Dans la ville du conquérant, tu t'échappes de justesse des meutes de droïdes. Après avoir retrouvé ton chemin dans la forêt dense, tu dois maintenant faire face à la horde de créatures du temple maya.

LES PAGES DU DESTIN

Un combat sans merci s'engage. Après cette autre victoire, tu constates avec horreur que les pièces démantelées de ton scaphandre jonchent le sol un peu partout autour de la pyramide. Ces êtres dépourvus de cervelle sont parvenus à aller le chercher au pied de l'escalier et l'ont complètement détruit. Sans ton scaphandre, il te sera impossible de regagner la surface.

Les deux bras pendant de chaque côté de ton corps, tu soupires, et tu t'assois sur la première marche de la pyramide. C'est peut-être fini pour toi, mais le fait d'avoir réussi à sauver des milliards de gens te fait sourire. Alors que tu pousses un long soupir en pensant avec regret à tous tes amis, tu remarques qu'un étrange nuage coloré surplombe la cime des arbres et arrive vers toi. Tu te lèves et constates qu'il s'agit d'un essaim de petits poissons volants de couleur orange.

La tête entre les épaules, tu te dis alors : pourquoi ne pas finir tout cela en beauté, dans une dernière grande bataille contre le mal ? Mais lorsque ces étranges petits poissons arrivent, ils se mettent à tourner autour de toi pour te chatouiller et pour te soulever. Doués de la télépathie, les petits poissons te remercient d'avoir sauvé leur ville des mains de Zorias. OUI ! Ce que tu croyais être le domaine de ce conquérant fou était, en fait, leur ville à eux. Pour te montrer leur reconnaissance pour ce que tu as fait, tes nouveaux amis te reconduisent jusqu'à la surface de l'eau.

Là, des milliers de navires venus de tous les coins de la terre t'attendent… POUR T'ACCLAMER !

Tu es vraiment…
LA LÉGENDE DES LÉGENDES !